Il neige ! Il neige !
Les flocons dansent et font les fous.
Chacun dort bien à l'abri
blotti dans sa maisonnette.

ISBN 978-2-211-01622-3
© 1991, l'école des loisirs, Paris
Loi numéro 49 956 du 16 juillet 1949 sur les publications
destinées à la jeunesse : mai 2002
Dépôt légal : octobre 2013
Imprimé en France par CPI Aubin Imprimeur

Alain Broutin

Calinours
se réveille

illustré par Frédéric Stehr

lutin poche de l'école des loisirs
11, rue de Sèvres, Paris 6ᵉ

Mais qui n'a plus du tout sommeil ?
À qui sont ces yeux coquins ?
Ces gentilles petites oreilles ?

« Ohé ! C'est moi, Calinours !
Je suis déjà réveillé.
En attendant le printemps
je me promène en chantant :
Vive la neige ! Vive le vent ! »

« Je glisse sur mon petit derrière.
Ça descend ! Ça descend !
Et je fais du toboggan
sur mon petit ventre blanc. »

Calinours rit comme un fou;
il a de la neige partout.
Soudain il s'arrête, il se penche...
mais qu'a-t-il vu?
Ce sont trois petites fleurs blanches
à l'abri près d'un talus.

« Fleurettes! Fleurettes!
puisque vous sortez la tête,
tout le monde doit se lever.
Ça veut dire que le printemps
vient d'arriver.»

Il crie : « Ohé ! Mes amis !
Lapin, Castor, Écureuil !
C'est le printemps ! Debout ! Debout !
Je vais les réveiller tous.
En avant ! » dit Calinours.
Un ours qui glisse et qui glisse,
ça peut aller loin.
Calinours arrive chez Monsieur Lapin.

« Gentil Lapin, sors de ton trou !
C'est le printemps ! Debout ! Debout !
Il faut te laver les oreilles ! »
Mais Monsieur Lapin lui dit :
« Je les lave avec du soleil
et il fait trop froid aujourd'hui. »

« Petit paresseux ! Chante avec moi », dit Calinours :
« Un, j'ouvre les yeux ! Deux, je bouge la queue !
Trois et quatre, je suis debout sur mes pattes ! »
Mais Monsieur Lapin lui dit :
« Moi, je connais une chanson encore plus jolie :
Au dodo ! Au dodo ! Vive la ronflette !
Quand il neige encore,
ce n'est pas un temps à mettre
le nez d'un lapin dehors. »

Calinours repart.
Il glisse, il tombe, il glisse encore
et arrive chez Monsieur Castor.

« Gentil Castor, sors de ta hutte !
C'est le printemps ! Debout ! Debout !
Viens sauter, faire des culbutes ! »
Mais Monsieur Castor lui dit :
« J'ai la queue tout engourdie,
je préfere sauter dans mon lit. »

« Petit paresseux ! Chante avec moi », dit Calinours :
« Un, j'ouvre les yeux ! Deux, je bouge la queue !
Trois et quatre, je suis debout sur mes pattes ! »

Mais Monsieur Castor lui dit :
« Moi, je connais une chanson encore plus jolie :
Au dodo ! Au dodo ! Vive la ronflette !
Quand le vent souffle très fort,
ce n'est pas un temps à mettre
un castor dans la tempête.»

Allez, Calinours ! Il faut monter.
Monsieur Écureuil habite de l'autre côté.

« Gentil Écureuil, ouvre ta fenêtre !
C'est le printemps ! Debout ! Debout !
La neige sent bon la noisette ! »
Mais Monsieur Écureuil lui dit :
« J'ai encore le nez bouché
et je préfère rester couché. »

« Petit paresseux ! Chante avec moi », dit Calinours :
« Un, j'ouvre les yeux ! Deux, je bouge la queue !
Trois et quatre, je suis debout sur mes pattes ! »
Mais Monsieur Écureuil lui dit :
« Moi, je connais une chanson encore plus jolie :
Au dodo ! Au dodo ! Vive la ronflette !
Quand le ciel est tout mouillé, ce n'est pas un temps
à mettre un écureuil à sa fenêtre. »

Tant pis, Calinours repart.
Il glisse en criant partout :
« Debout, Monsieur Sanglier !
Debout, Madame Tourterelle !
C'est le printemps ! J'ai vu des fleurs ! »

Mais personne ne lui répond.
Alors il rentre chez lui,
si fatigué qu'il s'endort
en rêvant qu'il glisse encore.

Mais que se passe-t-il dehors ?
Tous ses amis sont sortis.
« Ohé ! Calinours ! Calinours !
Nous avons vu les hirondelles,
c'est le printemps ! Chante avec nous :
Un, j'ouvre les yeux ! Deux, je bouge la queue !
Trois et quatre, je suis debout sur mes pattes ! »

« Merci, Calinours », lui dit Monsieur Sanglier,
« tu nous as tous réveillés.
Il était temps. Grâce à toi nous allons voir
les premiers jours du printemps. »

« Elle est finie la ronflette », lui dit Madame Tourterelle.
« Toutes les fleurs vont pousser,
les courses et les promenades vont recommencer. »

Alors Calinours leur dit :
« Il reste encore de la neige,
avant que tout soit fondu,
amusons-nous, en avant !
Allons faire du toboggan ! »
« En avant ! Vive la neige ! Vive le vent !
Vive les ours, cher Calinours,
et vive le printemps ! »